Pour Benoît & Luc

© 1998, *l'école des loisirs*, Paris

Loi N° 49 956 du 16 juillet 1949,
sur les publications destinées à la jeunesse :
mars 1999.
Dépôt légal : mars 1999

Mise en pages : *Architexte*, Bruxelles
Photogravure : *Photolitho AG*, Gossau-Zürich
Imprimé en Italie par *Grafiche AZ*, Vérone

Jean Maubille

Quand je serai Grande

PASTEL
l'école des loisirs

Quand je serai grand…

J'aurai une grande,
grande corne,
dit Petit Rhinocéros.

Quand je serai grand…

J'aurai une grande,
grande trompe,
dit Petit Éléphant.

Quand je serai grande…

J'aurai un grand,
grand cou,
dit Petite Girafe.

Moi,
quand je serai grande…

Je resterai
toujours petite,
dit Petite Souris.

Et Petite Souris
éclate en grands,
grands sanglots.

Alors,
Petite Girafe
baisse la tête et dit :
«Grimpe,
Petite Souris !»

Et Petite Souris
grandit,

grandit !

«Tu es déjà grande,
Petite Souris !»